Dedication

This book is dedicated to the memory of Patricia Fyvie-Innes, the bravest Lady I could ever have had the privilege of meeting and loving. Our three bairns are a tribute to her amazing qualities which they have been so fortunate to inherit in no small quantities.

Chapters

Illustrations

THANK YOU

Thank you for purchasing Doric For Abidy Twa.
To explain ………Doric for Abidy was sold very
successfully five years ago. A sequel was a good
idea, but fit wird in Doric means 'Sequel'?
' TWA ' jist says it a!

Wid ye believe that Doric For Abidy gid tae mony
places in the warl? Nivver wid I hae thocht that
fowlks wid news in the Doric in Sooth Africa
(maybe), Australia (aye), bit in Spain, Singapore an
even in the Sooth o France?!

Wid ye agree wi me that Doric is like The Haggis,
"Aboon them a ", as a special wye o spikkin bi some
verra special fowlk?

ACKNOWLEDGEMENTS

The unqualified forbearance shown to the author by Cathy Bontemps - Innes is hereby recognised and appreciated. DORIC FOR ABIDY TWA was supported and encouraged by unending understanding and tolerance. Thank you.

Thanks to Britt Harcus and Eddie Innes, my grandson, for their work on illustrations. They made the characters come alive in excellent fashion.

To contact the author
Brian Innes please contact;
doricforabidy@yahoo.com
www.doricforabidy.co.uk
ISBN Number 979-8-218-28498-5

CHAPTER 1 ~ THE PRINCE 'O' THE PUDDIN RACE

In January, jist as in every ither 'eer, we celebrated a special memory o' Scotland's maist famous poet, Robbie Burns. Jist as important as the singin' o' his songs or the recitation o' his poems, is the feastin' on the traditional Haggis. Robbie hissel hailed The Haggis wi' "Chieftan o' the Pudding Race, Aboon them a' ye tak yer place!" Aye, Robbie loved his haggis!

Fan a' the excitement bla's by an' jist fan the indigestion peels hae workit their magic, ye ken its time tae lay by the 'Complete Works' for yet anither 'eer'.

For mony fowlk, a distant cousin o' the haggis is a treat that laists for the hale 'eer. I'm spikkin' aboot the Mealie Puddin, The White Puddin, or The Mealie Jerker.

For masel', my introduction tae the mealie puddin wis as pairt o' a 'white supper', bocht fae the chipper's van on his eence a wik visit tae the village. Abidy wid ken fan it wis chipper nicht, because ye could smell the van a mile awa. Nae jokin', they said that fan ye got the first whiff, the van wis jist passin' the cemetery an it wid be in front o' The Hall in five meenites. Spikkin' aboot the cemetery, wir local doctor eest tae say that fit the chipper selt wis responsible for mair deaths than the twa world wars combined!

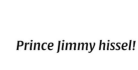

Prince Jimmy hissel!

For mony fowlk this wis fine dinin' at its best. Far else wid ye get sic a variety? An' jist afore it's wrapped up in its ain newspaper, the sat an' vinegar wid be added for ye, tae yer taste! Sometimes enough sat that it lookit like it hid been i the sna', or enough vinegar that there wis nae taste bit vinegar left!

Now, the chipper hid his ane waey o' cookin' a mealie puddin. He wid slap it aboot in a bucket o' batter, then drap it cannie kine, wi' it fizzin a lot, intae the het grease. Bi' the time he hid fult a buggie o' chips, it wis time for him tae rescue the puddin wi' his steel net.

Ye wid easy ken if the puddin wis richt cookit, 'cos fan ye were cairryin' it hame, the grease wid leak oot o' it, through twa layers o' The Press and Journal, on tae yer claes. Still roastin' het, it wis a richt treat!!

Wid ye believe that the mealie puddin his its ain distant cousin jist like the haggis? Now I'm spikkin aboot Skirlie. Wi' aboot the same ingredients as the mealie puddin, the mixture is nae squeezed intae a bit o' a beast's intestine, bit is just spread oot on a fryin' pan an' fried up wi' some extra ingins an' some mair grease. Skirlie his starred in some o' the finer restaurants in The North East o' Scotland. Richt awa' 'The Dairy' at Inverurie comes tae min'. Fan it wis in full throttle, a daily 'special' at denner time i The Dairy wid be 'Mince, Skirlie, Peas, Mashed Tatties / Chips'.

Doric Delicacies

A' kins o' folk wid pile intae The Dairy at denner time, an' Uggie the server wid rin the place like a weel iled machine. I happened tae be there ae day fan there hid been a hillik o' ile lads. I says tae Uggie " ye been busy the day?" Uggie nivver got rattled easy, bit at the thocht o' fit like a day it hid been, she jist rolled her een and says "ye hiv nae idea! Like ilkae ither day, I hae fowlk fae a' oor the warl."

So I asks her "div fowlks ken fit yer servin', like 'Shepherd's Pie' or 'Stovies"? That brocht on anither roll o' the een an' she says "hardly onybody his a clue, so I try ma' best tae explain fit it is." "Bit jist you try tae explain 'Skirlie' tae twa french lads an a puckle Egyptians!" Thinkin' back, I wid hae loved tae hae been a flee on the wa' tae hear that description! I dinna think that The Doric his an easy translation intae French or Arabic! Back tae the mealie puddin. In nae ither pairts o' the world, bar Aiberdeenshire will ye find them, so some fowlk tak a few hame wi' them aifter a holiday. The Kemnay butcher wis aye affa obligin' an' wid blast freeze a dizzen tae keep them frozen till ye got hame the next day.

Now a while back I hid tae ging tae London for an eerin an I hid arranged tae bide ae nicht wi' some freens there. My freens are fae Aiberdeenshire so I took a dizzen frozen mealie puddins wi' ma' as a surprise tae them.

This wis in the days afore yer case wid be X Rayed. Nooadays, I believe a string o' mealie puddins could be taen for ballies o' plastic explosives, an' could ye imagine bein marched awa, suspected o' trying tae bla somethin up, draggin a string o' mealie puddins as the evidence? I canna imagine the bobbies tryin tae licht the en o' a mealie puddin tae see if it wid explode!

I hid wrapped the Mealies amang my jammies tae keep them fae thawin oot. Efter a nicht on the train, I hid tae report tae an embassy, an' I presented masel tae the guard at the door. There he wis, bricht reed uniform, decorated like a Christmas tree, a muckle gun strappit tae his belt, an' enough medals tae be his ain magnetic north.

He telt me tae lay my case on the table an' tae open it. Then he stuck his haun inside an' begun tae rummil aboot. His haun got deeper an' deeper, then that's fan I think he reached the mealies, wrappit up in my jammies. He maun o' taen haud o' the first een, an' I sweer he stopped, an his face went gey near white, an' he nivver moved a muscle for a few seconds.

The peer man jist lookit straicht at me wi' anaffa feert look, then he snatched his haun oot o' my case, snappit it closed wi baith hauns, then chokit oot "Next Please!" I jist couldna' imagine fit he thocht he hid jist grippit in his haun, bit it wis better left aleen!

Cauld! Shaped like a sausage and it might explode!

Needless tae say, the Mealie Puddins survived their journey, an were rationed oot tae mak them lest as lang as possible.

Oatmeal is a main ingredient o' the mealie puddin. An english poet wrote aboot twa hunner yeer ago..........."In England, we wouldn't think of eating oats, We only feed them to horses". The best response was from a Scotsman who wrote, "Well, maybe that's why in England you have better horses, but in Scotland we have better men." Aye, the mealie puddin has been a main pairt o' life for mony, includin' masel. I dinna ken if onybody his tried sellin' tinned mealie puddins, or cooked and ready tae het up mealie puddins, so the only waey that ye can enjoy them is jist tae bile een or tae deep fry een. Mind you, ye can et een ra', bit the hertburn that will follae is in a class bi' itsel!

For sic a special pairt o' the Aiberdeenshire diet, I wid like tae see the Mealie Puddin get the same honour as The Haggis. I wid like tae see it hae a special day, 'Mealie Puddin Day', or 'Mealie Jimmie Day'. I'm sure that school bairns wid agree that it should be a school holiday!

I can jist imagine mealie puddin - makkin competitions, or skirlie contests. If its nae oor much tae imagine, the best chefs on TV could mak up new recipes wi' funcie names. Foos aboot 'Les Meelie Jacques, avec petits poids, nouveaux pommes de terre et jus de viande.?'

Naw, I jist think 'mealie puddin, peas, new tatties an gravy' says it a'! So jine wi' me in celebratin the Prince O' The Puddin Race, Lang live The Mealie Puddin!

CHAPTER 2 ~ PAIRT TIME JOBBIES

Fan I left the skweel, I really hid nae idea fit wis in my future. Somebody telt me that I should jine the Army or The Airforce, if they wid let me in. The Navy wis oot o the question efter I wis seasick in a rowin boat at The Duthie Park.

A freen o mine hid left the skweel at the same time as masel an he hid signed up tae jin The Airforce. In nae time he hid tae ging doon tae England tae get fitted wi a uniform. Great excitement! The first time Hebbie hid been oan a train.

A wik later Hebbie wis hame. Now fan I met him he telt me that he wid be leavin again shortly tae ging back for basic trainin. At least, that's fit I think he said. In the space o' ae wik, Hebbie wis noo spikkin wi' fit he said wis a Cockney accent an I could barely understan the first word oot o his moo! So I thocht tae masel, 'Na, Na, if that's foo ye hiv tae spik I' the Airforce or The Army, I'll jist stick wi the Doric. My military career wis finished afore it got startit!

A helpfu local wifie made a suggestion tae ma fowlks aboot fit I should dee noo that I hid left the skweel. She said, "tell him tae ging tae the University tae gither some sense an tae mak him like ither fowlk".

So I jined The university. Some ging because they hiv made up their min that they wid like a particular job, like a meenister, or a lawyer, or a teacher, or a doctor. I hid nae sik idea, bit I thocht it micht help tae get me get a job, fitivver wark I wid hae tae mak a livin.

Lookin back, I can aye say 'I put up wi a' that stuff, the education, the poverty, the drinkin an the cairryin oan'. The ither bit that I learned wis that the lang holidays wis my favourite subject, and I learned a lot aboot the real warl durin the holidays. It wis also a time fan I could mak some badly needed siller.

The first holiday wis Christmas. My Dad hid a wee grocer's shop fit selt maist stuff, groceries, binder twine, hen feed, wifies' claes, an ither essentials, nae forgettin booze. For shop keepers, Christmas wis a special time o' eer, an it wis richt handy that I hid the time aff fae university. This wis the time fan fowlk were buyin extra stuff for thir hoose, an buyin stuff for the femily, an fan fowlks wid brak oot a bittie extra for maybe some treats tae the bairns or for a nippie tae themsels. It wis the time fan The Co-op divident (Copie divi) wis payed oot an so fowlks wid hae a bittie extra tae spen farivver they wintit. Some shopkeepers, like my Dad, wid rin a 'clubbie', and fowlks wid paey a little bittie ilkae wik tae hae some extra for Christmas presents.

Twa special customers at Christmas were the McPhee sisters, Kirstie an Alice. Twa huge weemin wi three bairns apiece. Ae family bed wi grunnie i the fairm hoose, an the ither bed i the cottar hoose next door. Because they were near Chapel O Garioch, abidy jist kint them as 'The Feet O Benachie'.

It wis aboot twa wiks afore Christmas, an here they cam tae my Dad's shop all set tae bla the clubbie money. They wid buy toys, mittens an socks for the bairns, then they wid get presents for the men. That last een wis easy, a bunnel o white men's hunkies nivver wint wrang!

Then it wis time for stuff tae gie een anither. KIrstie wid ask o Alice "fit are ye needin for yer Christmas?" Now Alice blurts oot fit she his been practisin for aboot three months "I wint a brazeer". At that pint they ging tae my Mam. "She wints a brazeer". Now wir shop aye hid things for fairms bit didna hae a big stock o wifie's stuff, so my Mam wid get fit they wintit the followin wik at the wholesale. She wis like the fashion consultant. Twin-sets wis her speciality.

My Mam says tae Alice, " Fit size o bra div ye need?" Tae help oot wi sic a tough question, Mam asks, "fit size o cup are ye?'" Alice thocht for a meenit then she says " I've nae idea bit my man says they're twa guid hanfus, ilkae side". At that the twa sisters could only haud oan tae een anither, they were lauchin sae sair. Special funny memories! My Mam wis left tae use her best judgement.

It wis Kirstie's turn next an Alice asked her fit she winted for Christmas. 'Well," says Alice, "I eence hid a nigleej, or fittiver its caad. I got it tae weer at wir honeymoon, an Dod gid daft fan he saw it! It wis later that eer that we hid wee Doddie". I jist pit it oan twa mair times, and that's fan we hid the twa quines, aboot one year apairt. Noo it's caad deen, an I wid like anither een. Maybe we'll get a brither for wee Doddie. Workin in my Dad's shop wis pairt o life, bit aye interestin at Christmas!

As weel as workin in my Dad's shop, I got a jobbie as a pairt time Postie for a few wiks. I enjoyed the mornins, cos my roon wis spread oot a' ower the village. The regular Posties wi their vans covert the ootlyin fairms. There wis twa roons, mornin an efterneen.

The second roon wis the warst cos it wis fan ye delivered the Christmas parcels wi a bag files bigger than masel, tae the furthest oot pairts o the roon. I hid noticed that at the back o the shop far we got the mail wis a great big aul postie's bike, pinted reed an wi a carrier at the front. It hid ane o the auld fashioned leather seats wi a huge coll spring at the front. If ye hid ivver tae brake quick an if ye slid forrit oan that seat there wis little doot that ye wid hae tae change places i the choir! I thocht tae masel, "now if I can pit my parcels on the carrier at the front, it wid mak my second roon sae much easier."

So oan the first day that I trIed the bike, I got up a good speed an I wis jist getting roon the corner at the railway brig wi a my parcels on the carrier, fan I turned the hunnelbars tae ging doon the road, an I discovered that they werena connected tae the bike! I wis tryin tae steer the bike bit they werena connected tae onythin ata!

Nivver expectit that!

So I gid heelster- gowdie! I gid aewaey oan the ice an slid doonhill oan my backside, a my letters an parcels gid the ither waey, an got beerit amang the sna. Fan I struggled back up oan my feet an startit tae gither up a the mail, I could jist see aboot fower wifies looking oot at me fae the hotel windae and jist howlin an lauchin. I jist ken fine fit they were thinkin, 'aye, he went tae the University tae gither some common sense, bit it didna work!'

Now fan I wheeled the baith pairts o the bike back tae the post office, ane o the regular posties says tae ma, "Oh ye didna tak at thing did ye? Lang time ago ane o the posties here hid a terrible accident oan that thing. He bikit richt in front o a larrie, an he wis damn near kilt! Worse than that.. look fit happened tae a perfectly guid bike! Naebody his been oan it since!" If only I hid kint!

Ae waey or anither, Christmas parcels were offin a special problem. For fower aifterneens I hid trauchled wi a great big parcel tae gie tae my aul music teacher. A verra important wifie! She hid nivver been at hame an I didna wint tae leave the parcel oan her porch. An I dina wint tae haul it back an forrit again anither day. Friday aifterneen, sure enough, there wis naebidy at hame. Fit tae dee?

Then I hid a brainwave. I put the parcel intae the shed at the side o the hoose, lockit the shed door wi the key that wis i the lock, an syne drappit the key intae the hoose letter box. The parcel wis safe! The wifie widna hae tae wait ae mair day, an I hidna tae cerry it ivver again!

Now fan I wis wallkin back tae the post office at the en o ma roon, here cam the wifie. I couldna wait tae tell her aboot the parcel that she hid been expectin for a hale wik!

She listened tae ma story wi a face like thunner then lookit me straicht i the ee, an yelled "You fool! My husband and I always leave the house key in our shed, and whoever arrives home first can have it. Now we are both locked out!" Ane o thae times fan ye wish ye could jist bla awa!

Then I mint. The mannie at the back o her hoose wis a phone mannie, an hid ledders. Sure enough, ane o the bedroom windaes wis a bittie open! In meenits, I wis strugglin tae get intae the open windae and syne open the front door. Bi the time I got the door open there wis aboot fower wifies, jist like the wifies at the hotel, a stannin starin at this performance. I kint fine fat they were thinkin. "Aye, we jist kint, there's jist nae enough common sense at the University tae mak a difference tae a gype like him!"

Like abidy else, nae jist wi students, yer need for siller nivver stops, an onythin that can mak some extra cash aye helps oot. I got an idea ae day fae wir butcher fan he cam roon in his van. He jist happent tae mention that his busiest time wis at Christmas, an he aye selt a hillick o turkeys.

It wis aboot July an I bocht fower turkey pullets fae a fairmer's wife, Mrs Shand, fa bed at Whitewells fairm at the front o Benachie. She aye brocht up a hillick o turkeys jist for Christmas. She telt me that three o them wis definitely hens, so I caad them Annie, Nannie an Fannie. The fourth een could maybe be a bubbly jock so I caad it Sandie. If things turned oot different I wid jist caa it Sandy instead.

Three wiks afore Christmas, the turkeys were huge! Nae winner, they hid been fed layers pellets, scraps fae the kitchen, aven aul lof. The butcher telt ma "if ye can hae them ready for next wik, I hae customers for them a." All o a sudden, I thocht 'He means that they hiv tae be deed! Foo dis that happen?'

So I wint back tae Mrs Shand for advice, "foo div ye mak a turkey ready for the butcher?" "Well," she says, "they've tae be deed first." I spiered " foo div ye dee that?" Now if ye are at a sqeamish, miss oot the next paragraph. She explained that ye tak the turket bi the legs, upside doon, an fan it looks forrit tae see fats goin oan, ye pit a brush hunnel oor its neck. Syne ye stan on the ens o the hunnel so the turkey's heed canna move, an ye pull the legs till ye ken the neck is oot o jint.

Can ye jist imagine? I wis gaun tae dee that tae ma fower freens! Sandie wis first, in the garage. Notice, its still Sandie. I wint through the steps that Mrs Shand hid telt me, an I said tae masel, " mak it quick, the peer cratur canna suffer". Wi that I pult as hard as I could, an ye winda believe fit happened next. The heed bed oan the fleer an I wis still haudin the turkey! I hid pult the heed clean aff! Nae only that, bit for a hale minute the peer turkey, wi jist a lang stump for a neck an nae heed, wi bleed fleein awaey, flew roon the garage in circles!

Mam, the een wi' the collar winkit at me

Fan I thocht back, butchers wid offen hae hens an turkeys hung up in their windaes, bit they were pluckit an they aye hid their heeds an feet oan. So fit tae dee? I hid learned I the Cubs foo tae shew oan a button, so I shewed the turkey's heed back oan. Ye ken, fan the butcher cam tae pick up he turkeys, they a hid their feet oan, their heeds oan, an were pluckit. He nivver noticed that een o them hid a ruffle roon its neck, an the heed wis facin backwyse! I wis nivver very good at shewin! There wis some profit, bit there wis a lot o wirk tae get it!

In nae time ava, it wis the summer, an I wis free!! Bit nae for lang. The baker's wife phoned my Mam an spiers "Wid Brian like tae drive a baker's van for the summer? Ane o wir vanmen lost his license, an we need somebody tae drive him on his roons". Well, I thocht I hid won the pools! I hid nivver, ivver thocht that I wid get tae drive a van! An fits mair, a van wi funcie pieces!

So on Monday, Bert the salesman, wi me drivin, set oot tae wir first roon. We made a great pair, gan aboot the countryside, newsin tae a the wifies, an noo an again haein a funcie piece. An I wis gettin payed fort!

Bi the time we were oan the Friday roon, Bert says tae me"Ye ken, I hivna driven ma van noo for a wik, see a shottie o drivin." Tae that I said, "If you are drivin an we get stoppit bi a bobbie, you get intae a row, and I get intae a hell o a row for lettin ye drive!" Well, he harpit oan aboot this the

18

*Best hat
I ivver tasted!*

hale day….. "let me drive, naebidy will ken!" I got fair scunnered o this an so I says ," ye can hae a shottie at wir last stop. That's the fairm o Mellan Brae, richt at the front o Benachie. There's a lang fairm road an you can drive fae the fairm back tae the main road."

Well, the fairmer's wife hid got her eerins, an off we set back tae Chapel O Garioch. Bit I hid winnert aboot the fairm road bein affa roch. I hid noticed that even the fairmer hissel didna drive oan the road wi his tractor, bit drove up the side o the park instead.

Now Bert is drivin, an we struck the first muckle steen oan the road at aboot forty miles an hoor. That's fan I hid een o life's special experiences! There wis a kins o bakery fleein awaey fae the back o the van. It wis rainin pies! This didna slow Bert doon ata. For a start I got in the side o the heed wi a jammie dodger, then a meringue exploded on the mirror. A panned lof took by me, followed bi a lemin slice, an bi the time we got tae the main road I hid a sausage roll stuck between my left ee an my glesses, an I wis weerin an aipple tart like like it wis a hat! Then Bert explained "Bit I got it up tae sixty mile an oor!"

That kind o finished my baker's van man days. The baker's missus, peer wumman, fan she could see that that we hid coniched as much as we hid selt, she kint fine fit hid happened. I jist hidna the hert tae tell her the hale story. The followin summer I workit as a pinter. At the time I thocht I could dee less damage as a pinter!

19

CHAPTER 3 ~ THOCHTS O AN AIBERDEENSHIRE TEACHER

'Ken 'is' I says tae masel the ither day, 'files fan a body looks back ye see that some things are aye changing, bit some things aye bide the same'.

Ae thing that I think aye bides the same is that a the folk that work wi the bairns in wir schools are nae appreciated as they should be by mony folks. I hae been a teacher for mony eers, an I wid say masel that the time spent in classrooms his been a great reward until itsel.

Now fit dis this hae te dee wi onything? Well, I yockit as a science teacher at Inverurie wi a rare bunch o pupils, teachers, jannies an office wifies.

Jist tae gie ye some idea o foo helpfu they were tae ane anither, jist imagine this. It wis my second mornin, an I hiv an affa bad habit, I'm late for maist things. Now I hid been weel telt that The Rector, or Dominie, or Heedmaister wis a stickler for a the teachers an a the pupils tae be in The Hall bi eicht o'clock sharp for The Mornin Assembly. It winted twa minutes o eicht o clock an I wis gallopin tae my classroom tae get red o my message bag o stuff an my piece. Full gallop it wis, among a crowd o'pupils, an some office wifies, a desperate nae tae be late.

Suddenly, Mrs Doo fae the office stoppit richt in front o me wi baith airms oot, makkin me stop stop as weel as a bunch o pupils. Then in a loud voice, she says "Mr Innes, yer bricks are open!"

Aye something fan yer in a rush!

Now foo offin div ye come across onybody that wid tak the time tae say that? She could jist as easy let me go an can ye jist imagine the numbers o pupils that wid hiv hid a good giggle afore I noticed?.

Spikkin aboot the Morning Assembly, this wis fan The Rector wid mak announcements. Ye see, it wid hae been intae ma second eer, an at that time wir Science Department got a special award o some siller. At ae en o the school wis a square, wi buildins a aroon. In the middle were some benches an this wis far pupils could ging during The Interval an hae a news the gither. Well, somebody got the idea that the siller wid be used tae 'beautify' the place an so we got a fish pond, wi goldfish. We bocht three pea hen eggs as weel an hatched them oot. Wid ye believe? Here cam twa peahens an ae peacock. Efter a while they were let ging lowse amang the pupils. It didna tak lang for the pupils tae discover that the peacock an his hens werena feart, an wid like bein fed tattie chips. Their favourite wis sat an vinegar.

Fan the peacock got bigger, he micht hae lykit tae show aff in front o his sisters, an wid mak a dive for a chip. Well, ae wee quine pult her chip back an she got pickit bi the peacock.

The Rector hid heard enough! Next mornin at Assembly he announced "boys and girls, there is no need to be afraid of the peacock! I myself will

No one told me it could fly!

21

show you at Interval how to feed it safely!" Well, at eleven o clock sharp, there he wis, black goon, an a buggie o chips. "Boys and Girls" he says, "watch carefully how I feed the peacock safely", an held oot a big tattie chip. It micht hae been the sleeves o his goon that fleggit the peacock, bit it took aff intae the air, an believe it or no, landed richt on tap o the Rector's heed! It maun hae teen a guid haud, cos bleed wis rinnin oor his left lug. At that pint Jim the Jannie got richt intae action an swiped the peacock aff. Not the first pupil dared lauch!

Jist as the Rector wis leavin haudin his hunkie till his lug, he says tae Jim, "these birds had better be gone by morning".

That nicht, Jim an I were workin at the nicht school, an he says tae me "wid ye gimme a haun tae gither up at birds intae a box?"

He hid the twa hens in a cardboord box bit nae peacock. It wis on the reef o the Technical Department. Now it's been said that a peacock maks a soon like a 'droonin man', shoutin for help. The peacock wis makkin a soon mair like an all cra, aye een wi a throat infection. Jim tried tae shoosh the peacock doon bit it jist craad back at him.

"I'll fix him" Jim says, an he hid a ten fit lang windae pole wi a cluke at the en. Now Jim wis a good golfer, an he took a swing at the peacock jist like the pole wis his five iron. Well, it connected! Ye micht hae seen a peacock fleein bit hiv ye ivver seen a peacock fleein at aboot twenty mile an oor wi nae single flap o its wings? It landed richt aside the box, beak first! Jim hid it intae the box, in nae time ava, deed or alive, wi the twa hens.

That box wis on the seven o'clock train oot o Inverurie the next mornin, on its waey tae a zoo, doon sooth.

Like athin else, theres aye something or somebody that sticks in yer memory for a kins o reasons. I hae cam across mony richt nice bairns, good bairns, clivver bairns, hard workin bairns, bit I hid nivver cam across onybody like Sandy.

Fan the 'Leaving age' wis changed tae sixteen, it wis nae fair tae the pupils fa turned sixteen between the summer holidays an the Christmas holiday tae hae tae bide on till the next summer. So 'Christmas Leavers' wis invintit. Teachers could volunteer tae tak a class o 'Christmas Leavers' for a half day, one day a wik. I did, an thats fan I met Sandy.
He wisna a coorse loon, bit he wis nivver far fae trouble. Maist teachers couldna thole him, wi his impidence, wi him pleasin hissel, an jist bein a

dieve. Ae day I wis spikkin tae Ernie, ane o the Technical Teachers aboot Sandy. Efter a lang news, the pair os hid an idea. Ernie wid get Sandy tae mak a sma timmer box, wi a gless tap, an I wid get him tae mak a solar panel i the box, wi a bit plastic tube wi water int, connected tae a coffee tin. The water wid circulate an Sandy wid mak a record o the temperature o the water on richt het days. Engineerin meets science, wi Sandy!

Sandy thocht this wis great, an in nae time the solar panel wis ready tae be tried oot. We lookit awaey, an' we thocht that the flat reef o the Technical Department far the peacock hid been, wid jist be perfect.

We tied a bit tow tillt an een o the loons wint tae get Jim the jannie wi his ledder. Wi nae notice, Sandy says "Dinna need a laidder", an he shimmied up the doonspoot, nae bother. He then pullt up the solar panel wi the tow. There wis nae need for me tae tell him tae come doon, cos he wis already tryin tae find a place tae set it up. Now in that same buildin wis the Depute Rector's office wi its ane private lavvie. Because It wis richt in the middle o the buildin, the only licht wis fae a sma skylicht.

Jist guess fa found the skylicht, an guess fa lookit intilt, an guess fa he saw, seated on the throne ? Maist bairns at that pint wid hae gin intae reverse at high speed, bit nae oor Sandy. He chappit oan the skylicht, an smilin a oor, he shouts doon tae the Depute Rector, "I can see ye, an I ken fit yer deein!"

Aye Aye,
Fit like

Ye dinna need details o' fit happened next, bit I hiv a clear memory o the Depute Rector appearin ootside, fastenin his jacket, an shoutin at me, " Mr Innes, I need to see you now!" That wis the day that I cam closest tae getting the seck! Bit it nivver happened an I can look back oan ten eer o my life wi mony memories, an a lot o fun!

Pupils at Inverurie Academy cam fae a aroon, as far as Kemnay, Insch, Oyne, Kintore, Oldmeldrum an Fyvie, an in the depths o a verra coorse winter, pupils fa traivilt hid tae hae a 'Snow Address'. This wis a home in Inverurie, like wi a freen or relative far they could bide if the buses got stuck i the sna. Maist important, abidy wis telt 'if it it looks like there's gaun tae be a lot o sna, BIDE HAME!'

It wis ae day, early in March, an aboot ten o'clock the sky got affa dark. The school wis In, bit the sna wis blawin sidewaeys, the win wis howlin, an ye could see oot the windaes the wifies widin amont tae get doon tae the shops. The order hid jist been announced. 'The school is closing and all those with snow addresses check at the office then make your way to your snow address.'

Bi eleven o'clock, we were in the middle o a blizzard. Maist pupils hid left tae ging hame. Then there wis a bang on my door. Fan I opened it there stood three pupils, a loon an twa quines, a battered white wi sna. They tried tae spik , bit it took a meenit for enough sna tae fa aff their faces for them tae move their lips. I recognised the three o them a fae miles awa, an the quines were weerin skirts!

Eventually, the loon managed tae say " Mr Innes, the bus nivver appeared so the three os thocht we wid jist walk tae the school ". An then, the bit that I min the best, the loon asked as seen as his teeth stoppit chatterin, "are we gettin oot early ?" I could only think that they were wintin tae walk hame!

Much his been said aboot the character an fortitude o fowlks fae the North East! Aye, they learn that at an early stage!

CHAPTER 4 ~ THE VILLAGE BOBBIE

In a sma country village, een o the maist important fowlks wis the local bobbie. I maun hae been aboot six yeer al, an I met a real bobbie for the verra first time. It wis ae Setterday, an my uncle Dod took me wi him for a run in his car tae Inverurie. Fan he stoppit i the Square, a bobbie cam by an says "Aye, Aye, Dod, Fit Like?" He kint my uncle Dod, an Dod says back, "Ed Niven, fit are ye deein here?" Ed says 'I'm a bobbie noo an I'm oan duty the day". Wi that he stuck his muckle heed, bobbie's hat ana, in at the driver's windae. I min that wis the biggest heed an hat I hid ivver seen, it wis bigger than the meen! An he says," michty Dod, far did ye get that loon, that's aboot the ugliest loon I hae ivver seen?" Well, I says tae masel, "he's nae business sayin that. I dinna like that mannie."

Aboot five eer later, Kemnay got a new bobbie-- guess fa ...Ed Niven! Then he cam tae be een o my best freens, like a special uncle, wi a great sense o humour that I min till this day.

Ed wis born in Chapel O Garioch. He telt me that he didna min much aboot the day he wis born, bit he hid nivver forgotten the soon o the dog barkin at the doctor fan he left the hoose efter the birth. I telt ye he hid a sense o humour!.

Time wint oan an Ed an his wife Doris, hid a dother an three loons fa grew up wi my sister an my brither an masel. Ed wis kint bi abidy. Some were good freens, some nae, bit abidy kint the bobbie.

In the mornins, Ed wid stan oan duty at 'The Bank Corner', beside its front door an far he could watch athing that wis goin oan in a fower directions. Hans aye ahin his back, he wid news tae abidy as they wint aboot their business.

Now I suppose every village his some noteables, some wid say they were eccentrics, some were daft, bit nae mony o them were coorse. Kemnay hid a special een, Mrs Duff fa hid a loud skirlin voice. She wid tak oan abidy she sa. Fanniver she saw Ed Niven, she wid skirl so abidy heard her. "Constable Niven!, How lovely to see you! You become more handsome every time I see you!" Ye can jist imagine the comments that passin fowlk wid mak. "Aye thoch she wis daft bit I ken noo". Or, "Niven handsome?, she forgot her peels the day." It took Ed a lang time tae get eesed tae that!.

Anither wifie jist loved tae raise din. An affa wifie, Beenie. She wid raise din at ony chunce she hid... Now Beenie wis oan the prowl ae mornin an she stoppit tae spik tae the bobbie. Every day, larries loaded wi new cut trees wid ging through the village tae get weyed at the wey brig at the quarry. On this mornin it happent that the first larry tae ging by wis bein driven bi een o Bennie's neepers. She couldna stan him an wid dae onything at a tae get him intae trouble. So Beenie got hersel as near tae the bobbie as she could, an in the loodest skirl she coul mak she says "Aye, its great foo some fowlk get tae drive a ower the place wi nae brakes!"

Now that wis as much as the bobbie hid tae hear. Abidy else hid tae hear, so he hid nae option bi tae stop the larrie fan it cam back fae the quarry. Here it cam, an Ed steppit oot in the middle o the road an waved till him tae stop. Fan it wis stoppit richt aside him, he clims up the wheel an in ower the larry, sits doon oan a pile o tattie bags fit wis the passenger seat an says tae the driver "I wint ye tae sink yer waldie an get this thing till aboot thirty mile an oor, then I'll tell ye fan tae stop".

Off the larrie wint, in a clood o smoke an tree bark. Doon by the bakery, syne by the pub, gettin aye fester an fester. Fan the needle wis jist at thirty, the bobbie slappit the dashboord, an cries "Stop!". The driver gey near stans straicht up pittin every bit o his weicht oan the brake pedal. The tires were howlin, smoke fae them wis awaey, the brakes were working great! The larrie wheels were gey near lockit, an the larrie wis at full stop in nae time.

Bit something else hid happened. The larrie hid stoppit, bit nae the logs.. They didna hae ony brakes. The only thing that wis haudin them wis twa chines, an wi the sudden stop they baith flew in a hunner bits. Wi naethin tae stop them, the twa biggest logs cam richt through the back windae an straicht oot through the windscreen. The larrie driver wis lucky, he jist got a scrape oan the lug fan a high speed log missed his heed as it passed by. The bobbie hid lookit roon fan he heard the first crack, and the second log jist missed his heed bit took the snoot o his bobbie's bonnet an it shot oot the windscreen at the same time as the log.

I mint tae tell ye jist tae slow doon!

Baith men hid their luckiest day ivver. Fit micht hae happened if they hid jist been inches tae ae side or anither? It wid mak a body shak jist tae think aboot it! Now oan tae the followin day fan Beenie marches up tae the bobbie an spiers "Well, did ye tak at lad for nae brakes?" I jist dinna hae the hert tae tell ye fit the bobbie telt her, bit I ken fine ye can jist imagine it for yersel!

Now, pairt o' the Bobbie's job wis tae settle fechts or tae try tae prevent them happenin i the first place. Een o' the places far there wis offin fechtin wis the pub, especially fan closin time cam aroon, an efter a bucket o drink a fecht could easy happen. Drink affects different fowlk in different waeys. There are sleepy drunks, there are happy drunks, an there are cyard drunks, fa jist wint tae fecht. They wid fecht wi their shadda an wid dae onything tae get a fecht startit.

This is far the local miller cam in, we ca'ad him The Muller. Fan The Muller got in a gweed drink, he wid start in an in nae time a fecht could start. He wis a wee mannie, an the joke wis that he wis jist the hicht o twa chunties. The Muller wid get fu at least eence i the wik. He bed i the village wi his wife, a mammoth wumman. She files wirkit i the mill, an it wis kint that she could load a larrie wi bags o oatmeal faster than ony man could. Ae day, jist at closing efter denner time, Alec fa aint the pub phones the bobbie tae that there wis a chunce that The Muller wis gaun tae get anaffa thrashin. An nae for the first time! Richt awa, Ed loupit oan his bike an wis at the pub jist in minutes. Jist in time! The pub door flew open an The Muller landed in a heap at Ed's feet . The bobbie kint fine that he hid tae get The Muller hame for fear that he hid mair comin tae him fae the lads inside. So he grabbit The Muller bi the collar o the sark an marched him up the road tae his hoose . He wid get his bike later.

Fan the door wis opint, there stood Mrs Muller, her face like thunner. She kint exactly fit hid happint, an she says," tak him inside an I'll see till him." So Ed helpit The Muller intae the room, an stood him up against the back o the setee. Fit happint next wis something that Niven hid nivver seen afore.

Mrs Muller stood richt in front o her man, an wi ae swing , jist like a heavyweicht boxer, an wi athin she hid, she struck him wi an uppercut richt oan the pint o the jaw. It maun hae landed richt because The Muller cam aff the fleer wi baith feet, an sailt richt oor the back o the setee. At that pint the last Ed saw o The Muller wis the soles o his beets fan he cleart the cushions. He cam intae land richt oan tap o the dog, bit he wis still alive, cos he an the dog were still twitchin oan the fleer the gither.

Mrs Muller, winner by knock oot!

28

Now as far as I ken, The Muller wis still a regular at the pub, bit he aye creepit awa hame efter the third or fourth pint. It wis safer that waey for him !

At ae time the river Don had guid numbers o salmon an broon troot. In fact the water wis sae clean that fowlk wid fish for fresh water oysters, an fae them wid pick oot valuable pearls. Its interestin foo they did this cos they wid use an aul bucket that somehoo the boddim o it wid be cut oot an a gless windae wid be glued in tae seal it. In that waey , fan ye pit the bucket jist intae the water ye could look at the bed o the river an look for the oysters.

Tae fish in the Don for troot or salmon, ye hid tae get permission fae the local Laird cos the banks o the Don belonged tae the Kemnay Estate, an they were divided intae 'beats'. So sometimes tae get permission tae fish ye hid tae paey tae be allowed on tae a beat.

Ye can imagine that as seen as somebody says 'ye are nae allowed', then that is seen as a michty challenge and its in wir natur tae get a waey aroon the rule. Now there were aye poachers fa wid ging oot at nicht tae catch fish. Maybe only cos it wis aginst the la. This is far the local bobbie wid come in, especially in the autumn fan the salmin were rinnin.

Ed Niven's pal, the Kintore Bobbie ca'ad Bob, wid work the beats wi Ed an they wid wak the banks o the Don in Kemnay an Kintore. They wid ken that the poachers were workin cos files they wid leave messages tae een anither in the sand on the banks. It wis weel kent fa the local poachers were cos they wid sell the fish that they hid teen the nicht afore. Ye could aye depend on Nommie for a richt bit o salmon or or a couple o troot. So this wis ackward for the bobbies cos they wid files get a bit fish tae themsels, although they were aye bein telt bi the Laird to "Arrest those scoundrels!"

It wis late ae nicht and Ed an Bob thocht they wid ging tae Nommie's hoose, cos they kint fine that he wis poachin maist nichts. Richt ootside the front door wis a pair o weet widers, an the bobbies kint they needed tae spik tae Nommie.

They chappit at his door an fan he appeared he says' Cwa in, fit are you lads up till the nicht?" Ed says" were you at the water the nicht?" An Nommie says" Michty no, I hardly ging neart it ata noo." Nommie's missus fa wis spread oot oan the setee , backit him up an says "Nommie his naethin tae dee wi poachin noo, hisna hin in eers!"

Nae winner it widnae play, different scales!

So efter turnin doon the offer o a fly cup, Ed says "weel, we'll jist haud hame an leave ye aleen". Bob hid laid his hat oan tap o the piana fan they cam in, an jist fan he wis pittin it oan, he wid play a few notes. Bob played in a band oan the wikeyns an could nivver pass up the chunce tae hit a few notes, fitiver instrument it wis. Bit naethin happint i the piana. Nae a single note wis heard. So withoot thinkin Bob lifted the lid o't, an says tae Mrs Nommie "fits adee wi yer piana?" She says, "the bloody thing's broken". Bit Bob hid seen something inside the piana, an there it wis, stretchin fae the low A tae MIddle C. It wis a new teen salmon, still weet! In thae days nae mony fowlk hid a fridge, bit in the rush tae hide the salmon, the piana wis the only dry place that it wid fit intill, tae keep it oot o sicht.

That nicht will aye be remembered for Nommie getting yet anither entry in his criminal record.

Fowlks o Aiberdeen an Aiberdeenshie aye hid the reputation o bein 'ticht', or 'grippy', or 'ticht wi a shillin'. I think that it is a reputation that his been weel earned, bit for a special reason. Maist fowlks that I ken look efter themsels an their families in the best wye that they learned fae their Mam an their Dad.

'Ye dinna waste onythin! Ye dinna show aff fit ye hae', an fitivver ye hae, be it a car, a tractor, tools, its gaun tae be used till it, or its ainer, draps. Fitivver happens first!'

The only time that onybody kens jist foo weel aff ye are is fan yer deed! It wis aye a newsin pint fan The Press And Journal wid hae somebody's will i the paper, jis a few wiks efter they hid wore awa. An wi foo much that body hid left.

"Aye, the aul bugger hid mair than ae biscuit tin aneth the bed, fu o siller". "Ye wid nivver hae thocht that he left a that bi the look o his claes. Ye jist widna believe a the shewin an darnin. They say that the suit that he wore tae his dother's weddin wis the een that his aul faither wis beerit in. Foo ivver he got that back, ye widna ken!"

For a that, I think that ye wid ging far afore ye could find warmer herts, an there wis nivver ony question aboot helpin onybody an abidy fan help wis needed. Aye, the fowlks o The North East are special fowlk!. Ilkae eer, fairmers hid tae dip their sheep. Sheep get a kins o bugs n beasties, an fan they are dipped they are pushed under in a troch o chemicals, an the chemicals are supposed tae kill a the bugs n beasties. There wis sometimes a chunce that the sheep could be bad used, an a bobbie hid tae be there tae watch the dippin. Fan a fairmer needed tae dip his sheep, the bobbie wid ging by the fairm an a date wid be set.

Donal o Afforsk hid fermed at the fit o Benachie a his days. He wid dip his sheep aboot the same time ilkae eer an Ed Niven wid ging roon tae see that it wis gaun tae happen as usual. Niven chappit at the door. He could hear Donal rumlin aboot inside. Then fan he chappit again, he heard Donal roarin.. "Fas at ?" "Its me, the bobbie, an I'm comin in!" Now Donal roars fae the inside "ye coorse bugger, ye've nae business bein here, so ye can bugger aff!"

Niven roars back "listen here ye fool aul divil, I'm here tae spick aboot yer sheep dippin". So tae be nice, Donal answers, "well, ye can come in, bit jist if yer feet's clean." Fan Ed opint the door, he couldna see onythin. Naethin bit solid black rick. Somewaey in there wis Donal, in the middle o a that rick. Fan Ed got forrit a few steps, he could jist mak oot far the rick wis comin fae.

Efter generations o Donals hid wore oot every tool i the place, they wid mak dee wi fitivver tool they hid.. The borin brace wis ca'ad deen at the back en o the First World War. Donal wis makkin a shaft for the neep cairt an hid tae dreel twa holes for muckle bolts that wid haud it oan tae the cairt.

Withoot a workin borin brace Donal hid the poker i the fire till it wis reed het, then wi rick gaun awaey, an a lood hissin soon, he wid haud the poker tae the shaft, makkin the Holes a bittie bigger ivery time. Technology wis nivver a strong pint at Afforsk, bit they got the job deen!

Jist like ither bobbies in Aiberdeenshire, Ed Niven wis moved aboot tae different offices, until he retired fae the last een which wis Bucksburn.

Bit he wis een o thae lads fa could nivver be at peace. His jobbies efter retirement wid fill anither chapter. Bit min fit I telt ye at the start o this chapter? He hid a tremendous sense o humour, an een o his retirement jobbies jist fitted perfect wi that. He got the job o drivin the hotel mini bus fae the Holiday Inn at Dyce an he wid drive tourists tae see the mony sichts an soons o Aiberdeenshire. His favourite run wis tae Monymusk, far he wid show foreigners the breedin grounds o the haggis. Wi nivver even a smile, he wid spic tae the open-moothed tourists foo the migratin haggises wid come intae land i the parks, then mate for aboot a wik. Syne they wid tak aff tae the hills, especially Benachie, tae nest an hae their bairns. Tourists were aye interested tae hear aboot foo the mating for

Tell the bairns tae look awa!

Haggises mating
Parental Permission
to view

a wik wid be a terrible embarrassment tae the fowlk o Monymusk. This hale story aboot the haggis wid finish up at the haggis sheetin season, an foo important it wis for the lads wi the guns tae weer their jackets back tae front tae mak the haggises think that they were lookin the opposite direction. If a this made the day even a wee bit mair interestin for the tourists, well, that's fit they cam for onywaey! Aye, the bobbie wis a colourful character, bit the village wis a the better for him!

Neeps and Tatties,
here it comes!

CHAPTER 5 ~ SPORTS

I hiv aye likit tae watch sports oan the telly. Bit growin up, aboot the only sports that ye could watch wis tennis at Wimbledon an golf fae somewaey in the warl far the sun wis shinin. There maun hae been something wrang wi Kemnay Golf Club cos there nivver seemed tae be richt sunny days. At least they didna happen verra offin! Anither favourite wis cricket, the Test Matches. I wis nivver verra fond o that cos for me they were as excitin as watchin pint dryin.

Spikkin aboot golf, that wis my first shottie at ony kin o sport. My Dad likit tae play golf wi his pals, an he got the gither some all clubs for me tae use. I hid been aboot seven year all, an the clubs were the kin wi timmer shafts that were sawn doon tae my size. If there wis nae leather left for a grip, then instead ye wid wrap electrician's tape so the shaft wisnae slidy. The baas were usually all eens, mair than likely damaged, bit wi enough white cover left for ye tae see far they landed, an that wis fine.

*Well, they were aul clubs
an baas onywaey!*

Ane o my first roons wis ae Sunday evenin, bi masel, an followin ahin my Dad an his pals. It wisnae even dark fan they finished, an they wint intae the huttie tae change their sheen. Here I come an somebody wis askin foo I got on. "Oh fine" I says ."An did ye lose ony baas ?" Now I min fit I said cos some o them thocht it wis funny, bit I jist telt them in a' seriousness, " I didna lose a lot, only eleven baas an 5 clubs". It wis richt nice o them fan they a' walked richt aroon the course again githerin up maist o my stuff. Fan we got back tae the huttie I got some guid advice , "watch far yer ba gings fan ye hit it an then pit yer club back intae yer bag."

Years gid by an for as mony times I played golf, it wis usually gey bad, an I nivver hid a success at it like my Dad. It wis ae summer nicht an my Dad made twa memories on the same nicht. At the 'short een', the fourth hole, he got a 'hole in one'. Now a lot o fowlk hiv deen that at the fourth bit it wis a first for my Dad.

The fifth hole wis caad 'The Nib', and ye played ower a hill tae the green fit ye couldna see, on the ither side. The sixth wis fan ye cam back up tae the tap o the hill, an cos it wis een o the langest holes on the course, ye hid ta gie the ba athin ye hid tae get onywaey near the green. Maybe it wis that he wis pleased wi himsel efter the hole in one, bit he gid the ba his verra best swing an it took aff like it wid ging for miles. Then the second memory wis made.

A fat all cra wist jist fleein hame tae its nest for the nicht fan the ba took it richt oan the side o the heed. That connicht the shot bit it conniched the cra ana. It drappit like a steen wi nae a single flap o its wings, straicht doon an wallop!…Deed!. Now how's at for a double on the same nicht? I hiv nivver heard o onybody else getting a hole in one and a deed cra baith in the same roon o golf!

Watchin fitba, oan the ither haun, wis limited tae watchin jist a few minutes o bitties o games wi Rangers or Celtic fan they scored goals. Same thing ilkae Setterday nicht, a mannie wi great thick horn rimmed glesses, wid tell ye jist foo great Celtic an Rangers were. Ye could easy tell that he hid jist stopped by the television studio on his wye hame fae the pub, far he hid been since the final whistle.

Now that's nae tae say that I didna try ony sport. In Kemnay there were twa cricket teams, The first Eleven an The Second Eleven. Baith teams were in a league, an even the First Eleven files hid trouble getting enough players tae mak the team. Maybe the problem wis worse fan the team wis 'awa fae hame', especially fan the weather wis gaun tae be coorse or the game is gaun tae be at a place like Boddam, richt aside the North Sea an balanced oan the edge o a cliff.

So ye can imagine foo difficult it wis tae fill the Second Eleven. Here's far I cam in. I wis offert a game ae Setterday at Boddam, Second eleven. That tells ye the Captain wis ready tae tak oan onybody! I wis fair trickit! Very first game! This wis my brak through tae professional sports!

Kemnay Second Eleven wis 'Fieldin' first. Maybe somebody hid noticed my abilities, bit I wis telt tae staun at the furthest pint o the boundary, far I could dee least damage. Jist lookin ower my shooder an straicht doon I could see the waves crashin on the cliffs jist below far I wis. I thocht tae masel, "'if that ba comes onywaey near me, I'm nae gaun chasin it onywaey near that cliff". It wis a great relief fan I didna hae tae field the ba, even the first time.

In nae time at a, the ither team hid scored 75 Runs, an then they 'declared'. That means that ' we're lowsin cos ye hiv nae chunce '. The best bit o the game wis next, half time. Ye will ken if ye are really caul, soakit wi drizzle, blawin oan yer hauns so ye can feel yer fingers, that onything het is aye welcome.

Nivver did braddies taste sae good. Even the tea wis fine, though it burnt yer moo. Now the warst wis still tae come. It wis Kemnay's turn tae bat. Ye will ken that the batter weers pads ower his legs. Well, the second eleven jist got the equipment that the first eleven hid thrown awa. So the twa batters hid only ae pad each, an that made it affa diffiucult for them tae rin, so we were seriously handicapped for a start! Apart fae that, although it didna affect wir playin, only aboot three o the team hid the traditional white briks, white jersey an beets. The rest o's were in wir good sark, wir best dangers an files jimmies. We were an amazin turn- oot o athletes!

It seemed nae time ava fan maist o wir batters were oot an it wis my turn tae bat. Last man in tae tak the wickit! Now I hid seen Boddam's best bowler in action. If ye hiv ivver watched a sma plane takkin aff, ye canna see the propeller cos its movin sae fest. A ye see is a roon blur. It wis exactly the same wi the Boddam bowler. He wid rin up tae the wickit, his airm wis jist a blur, an maybe, aye maybe, ye could jist mak oot a flash o a reed ba, an the batter's wickets wid be flat oan the grun. "OOT!" they wid roar, an the umpire wis ready wi his finger i the air.

Eence I got my pad strappit oan, I took my place wi my bat. MInd you, I think it wis a bat cos there wis sae much electrician's tape wrappit aroon the hunnil that ye couldna see the wid. I heard the umpire shout ' "Play!". I lookit up, bit the bowler wis awa in the distance, an the rain oan ma glesses didna help. I didna even see the blur! Afore I could move my wickets were flat. They hid been knocked clean oot o the grun, an they were lyin aboot six feet ahin me. "OOT!" they roared.

It tells ye foo much confidence my team mates hid in me tae snatch us fae defeat, cos the moment I wis oot, maist o them were already fechtin for the best seats in the cars, ready tae heed for hame.

My career in fitba wis gey near the same as my attempts at cricket. Again, it wis a last minute phone call fae the Captain on the Setterday mornin. "Brian, we're short o a player, can ye be in the BogBeth park at two o clock the day?" Now here again wis my chunce tae brak intae professional sports!

There wis a time fan fitba beets were real beets, nae like the funcie slippers that they weer the day. My beets cam up oor my ankles, and the tae caps were huge lumps at the end o each beet. I nivver kint foo they were made wi a lump, bit ye nivver hid tae worry aboot getting crushed taes fan ye gid the ba athing ye hid.

That Setterday, half o the team were late cos the pub hid jist let oot. Now ye kint that this wis gaun tae be a special game! I hae jist a few memories o that game. Ane o them wis fan wir goalie wid tak a goal kick. A roar wid get up fae the spectators, " gie it the big tae, Charlie!". Then fan

37

Fitba or meteor?

he wid start his rin at it, abidy wid roar" YEEEEEEEEEEE !!" till he struck it, an the roar wid change tae "YEOWT!"

Charlie wid fire the ba like it wis a rocket intae space. It wis aye said that Kemnay games hid extra time added oan tae mak up for the time that Charlie's goal kicks wid tak tae get back intae land.

I div mind fan the players wid shout for the ba. "Jist gies a touchie" meant that a short pass wid dee. Or fan the worst cursin ye can imagine wid come fae a player that hid jist taen a richt kick oan the shin. My ither memory wis fan I hid tae tak a throw in. I wis really prood o my lang hair. It wis the fashion at the time an it wid jist be left tae grow past yer lugs. Wi the rain, my hair could hae been described as 'cat's sookins'. Een o the spectators, frae the ither team, Insch, jist hid tae let me ken that I wis the enemy, an lookin me straicht i the face, he telt me, "yer jist like a yeaow lookin through drift!" The fashion o lang hair hid barely made it tae Insch at that pint.

As time wore oan, my thochts oan bein a professional sports star wore awa. Files its good tae jist watch sports noo, bit as far as the future? I can see masel gan a' oot in Snecks an Ledders, or maybe Dominoes. Na, I think I'll jist settle for Bingo. Widn't be great if someday Bingo wis an Olympic Sport?

CHAPTER 6 ~ DORIC ROMANCE

I suppose I wis in aboot Primary Seven that I suddenly says tae masel, "Ken is, quines are different fae us loons!" I wisna very sure foo they were different bit at gym us loons hid tae weer short briks, an quines hid tae hae navy knickers. Fan I say knickers I mean the navy blue things that were made fae the same hard weerin cloth that they used tae mak intae ships' sails.

In Primary Seven we hid tae dee dancin, Scottish Country dancin. The gym teacher, armed wi a gramaphone an a puckle records, hid a tremendous challenge. The teacher hid tae explain that it wis ok for a loon an a quine tae haud hans, at least ane each. An it wis ok for a loon tae staun close tae a quine. So wi this tremendous change in oor warls, we were gaun tae learn foo tae dance at the Christmas party. We were lined up as couples, an we were telt that we were gaun tae be Gay Gordons. Aa the fowlk that I kint bi the name Gordon werna gay ata, in fact maist o them were gey dour fowlk.

Fan it cam time for the Christmas party, we hid gey weel maistered haudin baith hauns fan we walked backwyse , an we managed tae bide staunin up durin the birls. The peer record o Jimmie Shand wis gey near caad deen, bit it hid jist enough grooves left tae dee the party.

Well, the party came an went. I suppose that abidy jist took it in their stride, bit twa things aye stuck in my memory. Een wis that you an yer partner were noo spoken aboot as 'gaun the gither'. Nae sure fit that meant bit it didna really maiter. The ither important memory wis that abidy got a bowl o ice cream wi a speenfu o fruit cocktail. Now if 'gaun the gither' includes ice cream an fruit cocktail, I wis ready tae meet this romance thing heed oan!

The next thing in my Doric romance wis the parties that the local Girl Guides an Boy Scouts hid every year. It wis aboot twa wiks afore Christmas ae eer, an my Mam hid answered the door an says tae me, "there's somebody wintin tae see you". So fan I wint tae the door, there stood twa quines, sisters fae the up the road, the aller een aboot my age. It is poorin rain an they were facin sidewaeys tae tak full advantage o the shelter fae their tammies.

The aller een says tae me," I cam tae ask ye if ye wid cam wi me tae the Guide party at Christmas". Now before I hid time tae say "aye" like a gentleman, the younger sister lookit straicht at me an says, "ye see, she his asked a puckle loons, an she canna get onybody else". There wis naewaey I could refuse. I jist showed up at the Kirk Hall oan the nicht o the party an jist like we practised, we hid the Gay Gordons, ice cream an fruit cocktail.

The Scout Christmas party that year took the loons an quines situation a bittie farrer oan. Nae only did we hae the Gay Gordons, bit the Scoutmaister announced that the next Dance wid be, 'A Cinderella Waltz'. He explained that if every quine wid pit ae shoe in the middle o the fleer, the lichts wid ging oot, he wid mix up the sheen, an fan he said 'GO!' the loons hid tae select one shoe in the dark. Then fan the lichts were put back oan, they hid tae find the ainer o the shoe an that wid be his partner for the next dance. Well, as seen as the lichts went oot, there wis a tremendous rush o loons tae get the shoe that they winted. Jimmies wi knots in the pints were thrown tae the side.

There wis a loud roar fae the Scoutmaister, an fan the lichts cam back oan, ye could see he hid been run ower bi a bunch o loons. His hair wis awaey, an his sporran wis upside doon. He says, "I nivver said GO!", bit that hidna stoppit the rush o loons. Ae loon, wi the biggest grin oan his face, hid three sheen aneth each oxter! He wis gaun tae hae a selection o partners! That wis the finish o the party. Jist ae mair Gay Gordons, nae ice cream, an the Cinderella Waltz wis nivver heard o again.

They micht hae waitit a meenit!

Romance in a body's life is learned in different waeys. Pairt o my education wis learned in the bus that I took tae secondary school every mornin. Fowlk fa aye took the same bus offin hid their 'ain seat'. There, ye could spik wi the fowlk ye kint, an wi time ye wid get tae ken the ither passengers. 'My seat' wis the last seat afore the back seat o the bus. It seated five, jist in front o the back windae. Every mornin, five young weemin sat i the same places on the back seat, an if ye wid listen, they wid hae a daily news aboot a the romance that wis happenin. That is, till ae terrible day!

Tae prepare ye for 'the terrible day', there are twa things that ye need tae ken. The first wis that the back seat o the bus wis abeen the boot o the bus. Jist a big open space wi a post tae haud up the seat. It hid twa doors facin the ootside, an passengers could easy load in their bikes, ony big parcels, or their cases if the bus run wis jist pairt o their journey.

The ither thing that ye need tae ken aboot wis Puddy, a local chiel fa drove a larrry for the scrapper. Puddy hid the warst eyesicht, an wore great thick glesses. His job wis tae cut up scrap metal wi a burner torch, an his glesses were jist black far the burner hid shot sparks at them. In fact, there hid been some discussion amang his freens that little or nae daylicht even penetrated Puddy's glesses. Bit he still drove the scrapper's larry!

Ae mornin, the bus wis stoppit tae pick up a passenger, richt at the side o the road. The five weemin were in full romance discussion, an I wis listenin!

Here cam Puddy! Wi the state o Puddy's glesses, he nivver saw the parked bus, an he slammed the larry richt intae the boot. I heard a tremendous bang, an then tremendous skirlin. The larry hid knockit oot the post aneth the seat, an the seat jist coupit backwyse intae the boot below. I lookit roon and there wis five pairs o tights, a wi legs in them, in the air, an skirlin like ye nivver heard!

Fa wid wint tae see that in the mornin?

It wis bi good luck that neen o the weemin wis seriously hurt, bit that wis the finish o that bit o my education in romance. Efter that, they a wid sit richt up at the front, as close tae the driver as wis possible!

In the Kemnay area, there werna mony occasions fan romance could blossom. There were een or twa dunces every eer, so mony folk wid gang tae the regular dunces in Inverurie. The maist popular wickly dunce wis in The Railway Hall, far the duncin wis Scottish Country Duncin music. Ye could aye see fit band that wid be playin because there wis a wickly advertisement in The Peoples Journal. I aye likit tae see the band caad The Melody Makers wi guest vocalist Wullie.

Now this could be a lot o fun, bit sometimes it wid get gye roch. Fitivver band wis playin, there aye hid tae be an eightsome reel. This wis fan ye could see birlin at its best, at its warst, an at its festest. Wi the man's airm linkit tae the quine's airm it wis an amazin sicht tae see the woman rotatin at sic a speed that she wis horizontal! This wis far romance met science. Ye ken its possible tae tak a caffies pail fu o water, an if ye are fest enough, an the hunnel disna brack, ye can swing it roon yer heed withoot skellin the water. This is Centrifugal Force that forces the water tae bide in the pail.

The same applies in the eightsome reel. I hae actually seen a quine's knickers, fan the elastic wis maybe a bittie perished an nae ticht, an the knickers shot richt doon tae her ankles in full birl! This wis far the romantic connection wis made. Her partner slowed doon till she cam intae land, then fan she stepped oot o the knickers he githert them up, stuffed them intae his pooch like a gentleman, an then they jist kept duncin! Efter a few eers, The North East wis struck bi Rock n Roll. It cam wi a reputation o haein affa loud music, a lot o fechtin an the duncers wid try tae get oan tae the stage tae touch the fowlk in the band. Een o the first Rock n Roll dunces in wir area wis at Monymusk Hall. The organisers, lik fairmers awaey, sortit ony problems afore they wid get startit. They nailed

Lizzie, I telt ye tae weer yer gallases!

hen wire richt across the stage so there wis naen o this climin aboot gaun tae happen!

Rock and Roll happened ivery wik in the Toon Hall i Inverurie, bit the duncin hid changed. It wis different fae Scottish Country duncin, because maist fowlk jist bed in ae place an chavved aboot in time wi the music.

Nooadays, at weddins an fairmers' balls, there's aye a mix o differrent kins o music. Howivver, thank goodness there's aye a waey or a place for the determined amang us tae cairry oan the tradition o romance, far ivver it micht happen tae be!

Glossary

A

ABOON	Above
ABOOT	About
ADEE	Wrong
AE	One
AEWAEY	One way
AFF	Of
AFFA	wful
AFORE	Before
AHIN	Behind
AINT	Owned
AIFTERNEENS	fternoons
AIPPLE TART	Apple tart
AIRM	Arm
ALEEN	Alone
AYE	Always
AIFTER	After
AINER	Owne
AFORE	Before
AHIN	Behind
AIN	Own
ALLER	Older
AMANG	Among
AMONT	Amon
ANETH	Below
ANA	As well
ANITHER	Another
AROON	Around
ATA	At all
ATHIN	Everything
AUL	Old

AVA	At all
AWA	Away
AWAEY	Everywhere
AYE	Allwa

B

BA	Ball
BAAS	Balls
BACKIT	Supported
BACKWYSE	Backwards
BAD USED	Abused
BAIRNS	Children
BAITH	Both
BALLIES	Small balls
BAR	Except
BED	Stayed
BEETS	Boots
BEERIT	Buried
BI	By
BIDE	Stay
BIKIT	Cycled
BITTIES	Small pieces
BLA	Blow
BLAS	Blows
BOCHT	Bought
BODDIM	Bottom
BORIN BRACE	Hand drill
BRADDIES	Pastries like sausage rolls
BRAK	Break
BRICHT	Bright
BRITHER	Brother
BROCHT	Brought

BUBBLY JOCK	Male turkey
BUGGER	Rascal
BUGGIE	Small bag
BURNT	Burned

COS	Because
COULDNAE	Couldn't
COWP	Tip over
COWPIT	Tipped over
CRA	Crow
CRA'AD	Crowed
CRATUR	Creature
CWA' IN	Come on in
CYARD	Nasty

C

CAAD	Worn
CAFFIES	Calves
CAIRRYIN OAN	Behaving badly
CAIRT	Cart
CAM	Came
CANNA	Can't
CANNIE	Careful
CERRY	Carry
CHAPPIT	Knocked
CHAVVED	Struggled
CHINES	Chains
CHIPPER	Chip shop owner
CHIPS	Chips/french fries
CHUNCE	Chance
CHUNTIES	Bed pans
CLAES	Clothes
CLEART	Cleared
CLIMIN	Climbing
CLIMS	Climbs
CLIVVER	Clever
CLOOD	Cloud
CLUKE	Hook
CONNICHED	Ruined
COOKIT	Cooked
COORSE	Nasty

D

DARNIN	Stitching repair
DEE	Die
DEED	Dead
DEEN	Done
DEEIN	Dying
DENNER	Lunch
DIDNA	Didn't
DIEVE	Pest
DINNA	Don't
DIP	Immerse(sheep)
DIV	Do
DIVIL	Devil
DIZZEN	Dozen
DOON	Down
DOOT	Doubt
DOONSPOOT	Downspout
DOTHER	Daughter
DRAPPIT	Dropped
DREEL	Drill
DRIFT	Blown snow
DROONIN	Drowning
DUNCIN	Dancing

E

EE	Eye
EEN	Eyes
EENCE	Once
EER	Year
EERIN	Errand
EEST	Used
EN	End
EFTER	After
EFTERNEEN	Afternoon
EXCITIN	Exciting
EYESICHT	Eyesight

F

FA	Fall
FAE	From
FAIR	Absolutely
FAIRM	Farm
FAITHER	Father
FAN	When
FANIVVER	Whenever
FAR	Where
FARRER	Further
FAS AT	Who is there?
FATS	What is
FECHT	Fight
FECHTIN	Fighting
FEART	Afraid
FEER	Scared of
FEMILIES	Families
FERMED	Farmed

FEST	Fast
FESTER	Faster
FILES	Sometimes
FITBA	Soccer
FITIVVER	Whatever
FLEEIN	Flying
FLEER	Floor
FLEGGIT	Scared
FIT	What
FIT'S	What is
FLY CUP	Cup of tea
FOLLAE	Follow
FOLLOWIN	Following
FOO	How
FOOL	Dirty
FOOS	How is
FORRIT	Forward
FORT	For it
FOWER	Four
FREENS	Friends
FULT	Filled
FUNCIE	Fancy

G

GAUN	Going
GEY	Somewhat/fairly
GID	Went
GIES	Give
GIMMIE	Give me
GING	Go
GITHER	Gather
GITHERIN	Gathering
GLESS	Glass

GLESSES	Glasses
GOALIE	Goalkeeper
GRIPPY	Stingy
GROWIN	Growing
GRUN	Ground
GUID	Good
GYPE	Fool

HOWLIN	Making loud noise
HUNKIE	Handkerchief
HUNNIL	Handle
HUNNILBARS	Handlebars
HUNNERS	Hundreds
HUTTIE	Hut/pavilion

H

HAEIN	Having
HAGGIS	Haggis (Scottish dish)
HALE	Whole
HAME	Home
HARPIT	Say repeatedly
HAUD	Hold
HAUDIN	Holding
HAUNS	Hands
HEED	Head
HEELSTER GOWDIE	Upside down
HELPFU	Helpful
HERTS	Hearts
HET	Hot
HERTBURN	Heartburn
HID	Had
HILLICK	Many
HIN	Has had
HIS	Has
HISNA	Doesn't have
HISSEL	Himself
HIV	Have
HOOR	Hour
HOOSE	House

I

ILKAE	Every
IMPIDENCE	Impudence
INTAE	Into
ITHER	Other
INTILT	Into it
IVVER	Ever
INVITIT	Invited
ITHER	Other
ITSEL	Itself

J

JAMMIE DODGER	Jam filled biscuit
JAMMIES	Pyjamas
JIMMIES	Gymn shoes
JINE	Join
JINT	Joined
JIST	Just
JOBBIE	Small/part time job

K

KEN	Know
KILT	Killed
KIN	Kind
KINS	Kinds
KINT	Knew

L

LA	Law
LANG	Long
LANGEST	Longest
LAIRD	Lord of the manor
LAISTIT	Lasted
LARRIES	Lorries
LAUCH	Laugh
LAUCHIN	Laughing
LAVVIE	Toilet
LEDDER	Ladder
LICHT	Light
LICKIT	Licked
LIKIT	Liked
LINKIT	Linked
LOCKIT	Locked
LOOKIT	Looked
LOOD	Loud
LOODEST	loudest
LOONS	Boys
LOWSE	Finish
LOUPIT	Jumped
LOWSIN	Finishing
LUGS	Ears

M

MA	My
MAIST	Most
MAISTERED	Mastered
MAIR	More
MAITER	Matter
MAK	Make
MAKKIN	Making
MAM	Mum
MANNIE	Man
MASEL	Myself

MAUN	Must
MEEN	Moon
MEENISTER	Minister
MEENIT	Minute
MICHTY	Mighty
MIGRATIN	Migrating
MIN	Remember
MINT	Remembered
MISSUS	Wife
MONY	many
MOO	Mouth
MORNINS	Mornings
MUCKLE	Large

N

NAE	No
NAEBIDY	No-one
NAETHIN	Nothing
NATUR	Nature
NAW	No
NEART	Near it
NEEP	Turnip
NEEPERS	Neighbours
NEWS	Chat
NEWSIN	Conversing
NICHT	Night
NIVVER	Never
NOO	Now
NOOADAYS	Nowadays

O

O	Of
OAN	On
OFFERT	Offered
OFFIN	Often
ONYBODY	Anyone
ONY	Any
ONYTHING	Anything
ONYWAEY	Anyhow
OOR	Our
OOT	Out
OOTLYIN	Outlying
OPINT	Opened
OPIN MOOTHED	Open-mouthed
O'S	Of us
O'T	Of it
OWER	Over
OXTER	Armpit

P

PAEY	Pay
PAEYED	Paid
PAIRT	Part
PANNED LOF	Panned loaf
PIANA	Piano
PIECE	Packed meal
PINT	Point
PIT	Put
PEELS	Pills
PEER	Poor
PICKIT	Picked
PINT	Point
PINTER	Painter
PITTIN	Puting
PLUCKIT	Plucked
POACHERS	Illegal hunters/fishers
POACHIN	Illegal hunting/fishing
POKER	Fire iron
POSTIE	Postman
POOCH	Pocket
POORIN	Pouring
PROOD'	Proud
PUCKLE	Few
PUDDINS	Puddings
PULT'	Pulled

R

RA	Row
RAININ	Raining
RED	Clear out
REED	Red
RICHT	Right
RIN	Run
RINNIN	Running
ROASTIN	Very hot
ROCH	Rough
ROON	round (of golf)
ROW	Trouble
ROWIN	Rowing
RUFFLE	Sewn fold
RUMLIN	Rumbling
RUMMIL	Rumble

Q

QUINE	Girl

S

SAE	So
SAILT	Sailed
SARK	Shirt
SAT	Salt
SCRAPPER	Scrap merchant
SECK	Fired
SCUNNERT	Tired of something
SEEN	Soon
SETTERDAY	Saturdy
SHAK	Shake
SHEEN	Shoes
SHEETIN	Shooting
SHEW	Sew
SHEWIN	Sewing
SHILLIN	Shilling
SHIMMIED	Climbed
SHOODER	Shoulder
SHOTTIE	Chance of
SIC	Such
SICHT	Sight
SILLER	Money
SKELLIN	Spilling
SKIRL	Scream
SKIRLIN	Screaming
SKWEEL	School
SLIDY	Slippery
SMA	Small
SNA	Snow
SNAPPIT	Snapped
SNECKS AN LEDDERS	Snakes and ladders
SNOOT	Snout
SOAKIT	Soaked
SOMEHOO	Somehow
SOMEWAEY	Someway
SOOKINS	Sucked hair
SOON	Sound
SORTIT	Arranged
SPEENFU	Spoonful
SPIERS	Asks
SPIERED	Asked
SPIK	Speak
SPIKKIN	Speaking
STANNIN	Standing

STARTIT	Started
STAUN	Stand
STEEN	Stone
STEPPIT	Stepped
STOPPIT	Stopped
STRAICHT	Straight
STRAPPIT	Strapped
SWEER	Swear
SYNE	Then

T

TAE	To
TAES	Toes
TAEN	Taken
TAK	Take
TAKKIN	Taking
TAMMIES	Woolen hats
TAP	Top
TATTIE	Potato
TELT	Told
THAE	These
THEGITHER	Together
THUNNER	Thunder
THRONE	Toilet
THOCHT	Thought
THOLE	Suffer
TICHT	Tight
TIMMER	Wood
TINNED	Canned
TOUCHIE	Short pass
TOW	String
TRAUCHLED	Struggled

TRAIVILT	Travelled
TRICKIT	Delighted
TROCH	Trough
TROOT	Trout
TWA	Two

U

UNERSTAN	Understand

V

VERRA	Very

W

WA	Wall
WAEY	Way
WAK	Walk
WALDIE	Wellington boot
WARK	Work
WARL	World
WARST	Worst
WATCHIN	Watching
WEE	Small
WEEL	Well
WEEMIN	Women
WEER	Wear
WEERIN	Wearing
WEERS	Wears
WEET	Wet
WEICHT	Weight
WEIGHBRIG	Weighbridge
WERNA	Weren"t

WEYED	Weighed
WID	Would
WIDERS	Waders
WIDIN	Wading
WIKEYNS	Weekends
WIKLY	Weekly
WIDNA	Wouldn't
WIFIES	Ladies
WIKS	Weeks
WINDAE	Window
WINNERT	Wondered
WINT	Went
WINTIN	Wanting
WIR	Our
WIS	Was
WISNA	Wasn't
WITHOOT	Without
WORE AWA	Died
WORKIN	Working
WORKIT	Worked
WRANG	Wrong
WRAPPIT	Wrapped
WUMMAN	Woman

Y

YE	You
YE'VE	You've
YEAOW	Ewe
YER	Your
YOCKIT	Startit

52

My Doric

Doric words I have learned in this wee book:

Doric words that the author could have used:

My favorite Doric words and their meaning:

TRIBUTE

Mony ithers cam hame fae the horrors o war.
Mony were broken, some in body, some in mind,
but nane in spirit.

GOD kens fa they are, ivery aen o them.

We gie them oor thanks,
we are here the day because o them.